PÈRES PÈRES

PÈRES

IS-TU?

Alain M. Bergeron
Michel Quintin
Sampar

SPÉCIAL DES PÈRES

Illustrations et couleurs: Sampar
Couleurs: GAG (André Gagnon)

Les données de catalogage sont disponibles auprès de Bibliothèque et Archives nationales du Québec et de Bibliothèque et Archives Canada.

Éditrice : Colette Dufresne

La publication de cet ouvrage a été réalisée grâce au soutien financier du Conseil des Arts du Canada et de la SODEC. De plus, les Éditions Michel Quintin reconnaissent l'aide financière du gouvernement du Canada par l'entremise du Fonds du livre du Canada pour leurs activités d'édition.

Gouvernement du Québec – Programme de crédit d'impôt pour l'édition de livres – Gestion SODEC

ISBN 978-2-89762-182-7

Dépôt légal – Bibliothèque et Archives nationales du Québec, 2016
Dépôt légal – Bibliothèque et Archives Canada, 2016

Éditions Michel Quintin
4770, rue Foster, Waterloo (Québec)
Canada J0E 2N0
Tél. : 450 539-3774
Téléc. : 450 539-4905
editionsmichelquintin.ca

1 6 - L E O - 1

Imprimé en Chine

Savais-tu que le répertoire vocal du coyote est très varié ? Il comprend, entre autres, des aboiements, des hurlements, des grognements et des jappements. Ses appels les plus caractéristiques consistent en une série de jappements suivis d'un long hurlement.

Savais-tu que la coquerelle a fait son apparition sur terre il y a 400 millions d'années ? Au cours de l'évolution, certaines espèces auraient mesuré jusqu'à 60 centimètres de long.

IL SUFFIT DE LES ÉCRASER, MA CHÉRIE.
ELLES NE VONT PAS TE MANGER!

Savais-tu que les pigeons nourrissent leurs poussins à l'aide d'une sécrétion laiteuse provenant de leur jabot qu'on appelle « lait de pigeon » ? Cette façon de nourrir les petits est d'ailleurs spécifique au pigeon, à la tourterelle et à la colombe.

YOUPi!!!
PAPA NOUS FAIT DU LAIT AU CHOCOLAT!
C'EST MOI LE PREMIER!
J'EN VEUX! J'EN VEUX!

C'EST rien QU'UNE PETITE COUPURE...

Savais-tu que les piranhas sont attirés par l'odeur du sang et que cela les rend frénétiques ?

Savais-tu que, tout comme la mouffette, le carcajou fait partie de la famille des mustélidés ? Il possède lui aussi une paire de glandes anales qui sécrètent un liquide à l'odeur fétide. Ces glandes sont situées de chaque côté de son anus.

AH OUI!
VIENS DONC ME LE DIRE EN PLEINE QUEUE!

LA DÉMONSTRATION DE PAPA EST TERMINÉE?
VA ME CHERCHER LA SPATULE...

Savais-tu qu'une puce adulte vit en moyenne de trois à quatre mois seulement?

TU NE SERAIS PAS SI BRAVE SI MON PÈRE ÉTAIT LÀ !

!?!

VAS-Y PAPA ! DÉFENDS L'HONNEUR DE LA FAMILLE !

PIAF !

Savais-tu qu'on a déjà vu des grizzlis propulser un ours noir à plusieurs mètres de distance, et cela d'un simple coup de patte?

Si TU MANGES TOUS TES TUBERCULES, TU VAS DEVENIR BEAU ET FORT COMME MOi!

Savais-tu que les phacochères se nourrissent principalement d'herbes, mais aussi de fruits, d'écorces, de racines et de tubercules? Ces omnivores mangent, à l'occasion, de petits animaux (insectes, mammifères, serpents) et de la charogne.

PAS QUESTION QU'ELLE PASSE L'HIVER DANS TON LIT!

Savais-tu que, chez les guêpes, la vieille reine, les mâles et les ouvrières de la colonie meurent tous à l'automne ? Seules quelques femelles fécondées survivront à l'hiver.

ON A FAIM!
QU'EST-CE QU'ON MANGE?
YO!

Savais-tu que les goélands adultes emmagasinent des quantités substantielles de nourriture dans leur jabot ? Celle-ci est ensuite régurgitée à leurs jeunes.

REGARDE, FISTON, «SA MAJESTÉ» DANS TOUTE SA SPLENDEUR!
OUACHE!

Savais-tu que le « roi des animaux » est le deuxième plus gros félin, après le tigre ? Un lion mâle adulte peut peser jusqu'à 250 kilos.

Savais-tu que, durant ses premiers mois de vie, le jeune pigeon apprend à reconnaître les odeurs caractéristiques de son pigeonnier et de sa région?

POUAH!

Savais-tu que lorsqu'il a terrassé une proie de grande taille, le dragon de Komodo va littéralement la déchiqueter avec ses longues griffes puissantes et ses dents tranchantes ?

D'OÙ VIENS-TU COMME ÇA?
C'EST DÉFENDU DE SORTIR DE LA COUR.

Savais-tu que la mouche domestique reste souvent fidèle à son lieu de naissance ? Elle s'en éloigne rarement de plus d'un kilomètre à la ronde.

Savais-tu que tous les rhinocéros aiment aller à l'eau et sont d'excellents nageurs ?

COMBIEN DE FOIS FAUDRA-T-IL TE LE RÉPÉTER, FISTON? OUVRE LES YEUX QUAND TU NAGES SOUS L'EAU!

TU AS MANGÉ MON PÈRE...
PRÉPARE-TOI À PUER!

Savais-tu que l'on compte une dizaine d'espèces de mouffettes et que toutes, sans exception, vivent dans les trois Amériques? La mouffette rayée est l'espèce la mieux connue et la plus commune.

TU VAS RIRE, CHÉRIE, MAIS JE ME SUIS TROMPÉ. ÇA FAIT TROIS SEMAINES QUE LES PETITS SONT AU MONDE, PAS QUATRE...
17

Savais-tu que, chez les corneilles, les oisillons vont quitter le nid et exécuter leur premier vol un mois après l'éclosion ?

Savais-tu que durant leur première semaine de vie, les petits pigeons, pour se nourrir, introduisent leur bec dans le gosier de leurs parents et aspirent un liquide hautement nutritif?

BLUB BLUB BLUB
SPORTS

SORS LES POUBELLES ET N'OUBLIE PAS LA VAISSELLE!

VLAM!

Savais-tu que les hyènes femelles dominent dans le clan ? En fait, les adultes dominent les jeunes et les femelles dominent les mâles.

TU AS MANGÉ MON SAVON !?! AVEC QUOI JE VAIS ME LAVER MAINTENANT?

Savais-tu que les blattes domestiques mangent à peu près n'importe quoi ? Si elles sont surtout attirées par notre nourriture et nos déchets de cuisine, elles mangent aussi de la colle, du papier, du savon, des poils, du tissu et bien d'autres choses encore.

Savais-tu que la hyène est un charognard ? Ce carnivore aux mâchoires extraordinairement puissantes est aussi un chasseur redoutable.

Savais-tu qu'avant l'âge de trois ans, les jeunes lions mâles sont chassés du groupe? Ils seront nomades et vagabonderont jusqu'au moment où ils pourront prendre le contrôle d'une harde.

C'EST TA VALISE! TU DÉMÉNAGES, MON GARS!

C'EST UNE BONNE JOURNÉE DE TRAVAIL, ÇA...

Savais-tu qu'on considère le rat comme le mammifère le plus destructeur au monde ?

NE BOUGE PAS, PAPA...
la Nouvelle
La pluie se fait attendre...

JE N'EN AI JAMAIS VU UNE AUSSI GROSSE!

JE VEUX LA PHOTOGRAPHIER.

Savais-tu qu'on connaît environ 35 000 espèces d'araignées ? De plus, les scientifiques croient qu'il y aurait encore des milliers d'autres espèces à découvrir.

Hic!...

?
HiC!

?

Hic!
HÉ! QUE FAITES-VOUS CHEZ MOI?
!?!

Savais-tu que les rats creusent des terriers extrêmement élaborés ? C'est là qu'ils aménagent leurs nids.

Savais-tu que, chez le coyote, ce sont les deux parents qui élèvent leurs rejetons ? Le père aide à la toilette et à l'alimentation des petits, garde l'entrée du terrier et, en cas de danger, transporte les jeunes dans un refuge sûr.

HÉ! GROS TAS DE GRAISSE ! NE T'APPROCHE PAS DE NOTRE TERRIER!
SINON, NOTRE PAPA NE SERA PAS CONTENT!
ET IL TE DONNERA UNE RACLÉE...
IL EST LÀ ... FAIS ATTENTION!

QUAND ÇA CRIE WOUF...
C'EST UN CHIEN...

QUAND ÇA CRIE MIAOU...
C'EST UN CHAT...

Savais-tu que si la puce ne trouve pas son hôte naturel, elle peut piquer d'autres animaux? C'est ainsi que la puce du chat ou du chien peut nous sauter dessus et nous piquer.

Savais-tu que, chez les hyènes brunes, le mâle aussi prend soin des petits ?

COMBIEN DE FOIS ON T'A DIT DE NE PAS JOUER AVEC LA NOURRITURE!

JE NE VEUX PAS RESSEMBLER À ÇA! C'EST DÉGUEULASSE!
ON N'A PAS LE CHOIX... C'EST NOTRE PÈRE!
BEURK!

Savais-tu que de l'œuf du crapaud sort un têtard ? Bien différent de ses parents, il respire sous l'eau par des branchies, a une longue queue, des dents, et se nourrit de plantes.

Savais-tu que les taupes sont des insectivores ? Elles se nourrissent surtout d'invertébrés comme les vers de terre, mais aussi de fourmis, d'araignées et de limaces. Certaines espèces mangent en plus des petits poissons.

Quoi?
Ce n'est pas ma collation?
VERS
NINA

MES PAPAS SONT PLUS FORTS QUE LES TIENS!

Savais-tu que, lorsqu'une rate est en chaleur, elle peut s'accoupler avec plus de six mâles différents?

BONJOUR MA PETITE DAME!

Savais-tu que les goélands des deux sexes sont semblables physiquement ?
Par contre, les mâles sont un peu plus grands que les femelles.

QU'EST-CE QUI SE PASSE ICI?
IL Y A QUELQUE CHOSE QUI BRÛLE?

Savais-tu que l'épaisse queue de la taupe à nez étoilé contient des réserves de graisse? Cela lui sert de source d'énergie quand la nourriture vient à manquer.

PAPA, JE NE TROUVE PAS MON CHAT!

Savais-tu que l'hippopotame commun peut atteindre un poids record de 4,5 tonnes ? Avec un poids moyen oscillant entre 1,5 et 3,2 tonnes, il est le troisième plus lourd mammifère terrestre, après l'éléphant et le rhinocéros.

GRRRRRRRRR...

Savais-tu que les crocodiles femelles pondent leurs œufs dans un nid ? Selon leur espèce, elles creusent ce nid dans le sol ou le construisent à partir d'un amas de débris végétaux et de boue.

LES ENFANTS,
C'EST LE TEMPS
DE ME DETERRER...
LES ENFANTS?
LES ENFANTS!!!

BEUARK! C'EST QUI, ÇA?

Savais-tu qu'une larve sort de l'œuf de la puce? Cette puce immature a la forme d'un petit ver blanc. Elle est donc très différente de ses parents.

Savais-tu que les jeunes crocodiliens sont des proies faciles pour les gros poissons, les grands oiseaux ou encore les mammifères ? Par contre, les seuls ennemis des crocodiliens adultes sont l'homme et les autres crocodiliens.

PAPA !
TU AS DÉMOLI
MON CHÂTEAU
DE SABLE!!!

Savais-tu que, selon l'espèce, les mâchoires des requins peuvent compter jusqu'à 3 000 dents ? Bien que celles-ci soient réparties sur plusieurs rangées (de 6 à 20), l'animal utilise seulement la ou les deux premières pour se nourrir. Toutes les autres sont des dents de remplacement.

MON PAPA EST LE ROI DES ANIMAUX...

Savais-tu que le seul vrai prédateur des hyènes est le lion ?

Savais-tu que la plupart des sangsues vivent en eau douce ? Elles préfèrent les eaux calmes, peu profondes, et les endroits où le fond est encombré de débris.

MAIS QU'EST-CE QUE TU FAIS LÀ ?
JE VEUX QUE MES SANGSUES SE SENTENT CHEZ ELLES...

TU ME LE DIRAS QUAND LE REPAS SERA PRÊT. J'AI FAIM!
ET OCCUPE-TOI DONC DES ENFANTS, ILS ME DÉRANGENT DANS MA LECTURE.
Corne de rhinocéros, un puissant aphrodisiaque?

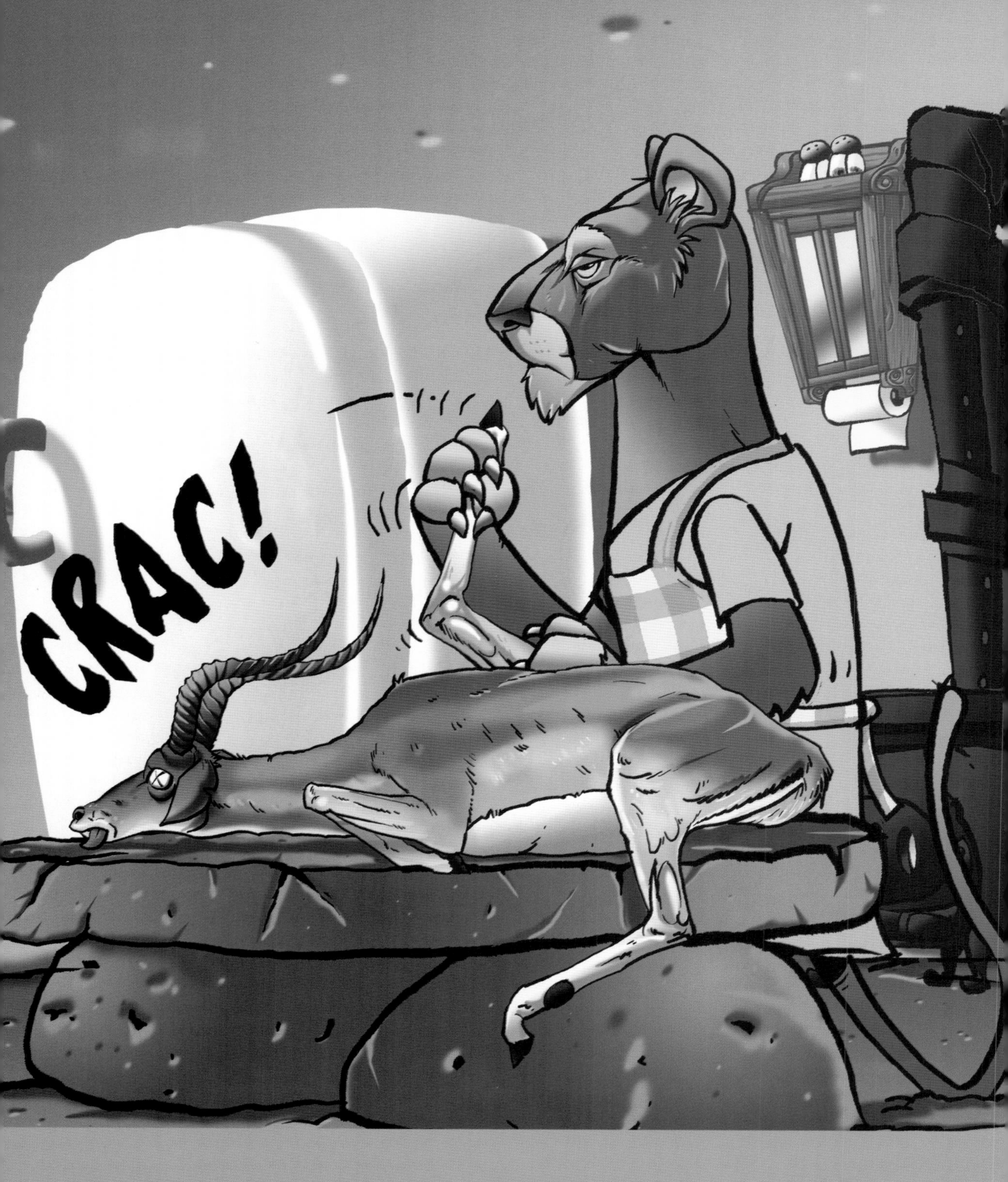

Savais-tu que, chez les lions, ce sont les femelles qui chassent pour tout le groupe ? C'est aussi à elles qu'incombe l'élevage des petits.

NON! PAS DES CRÊPES!

JE VEUX DES OEUFS ET DE LA CHAROGNE!

EST-CE QUE JE PEUX FOUILLER DANS LA POUBELLE?

Savais-tu que les goélands et les mouettes sont omnivores ? Ils mangent des poissons, des crustacés, des mollusques, des insectes, des petits fruits, des œufs et de la charogne.

Savais-tu que le hibou mâle veille au ravitaillement de la femelle dans la période d'incubation ? Il s'en charge aussi pendant la croissance des jeunes.

Savais-tu que l'on compte plus de 5 000 espèces de vers de terre ?
La plupart mesurent de 8 à 30 centimètres.

COOL!!!

MÉLANGER LE LEMMING AVEC LA CANNEBERGE BROYÉE...
4000 façons d'apprêter les Lemmings
Lait

Savais-tu que le renard arctique a une prédilection pour les lemmings? Durant la période d'élevage des petits, une famille de renards peut en manger jusqu'à 4 000.

Savais-tu que chez une cinquantaine d'espèces de coucous, la femelle pond ses œufs dans le nid d'une autre espèce d'oiseaux? Elle confie ainsi la tâche de couver et d'élever ses petits aux parents hôtes. L'adoption de

ce gros oiseau peut être dangereuse pour les parents adoptifs dont la taille est souvent inférieure à celle du coucou.

Savais-tu que pour devenir un crapaud, le têtard perdra sa queue, ses branchies et ses dents alors que quatre pattes bien vigoureuses vont lui pousser ?

IL ME SEMBLE
QUE C'ÉTAIT
PLUS SIMPLE
AVANT...

Savais-tu que si le goéland nouveau-né franchit les limites du territoire de ses parents, il sera brutalement attaqué et parfois même tué par les oiseaux du territoire voisin ?

ET TA FILLE VEUT VOIR UN COUP DE CIRCUIT...

Savais-tu que les araignées sont toutes carnivores et qu'elles se nourrissent principalement d'insectes ? Elles sont d'ailleurs les plus grandes prédatrices d'insectes à travers le monde.

LES MOUCHES NE PEUVENT PAS ENTRER !

Savais-tu que, chez les crapauds, chaque verrue est constituée de glandes ? Ces glandes sécrètent un poison nauséabond et de mauvais goût qui éloigne les prédateurs.

AVEC DES GANTS ET DU KETCHUP, CE SERA UN EXCELLENT REPAS...
PAPA, JE VEUX DU POULET!

PAPA, JE TE PRÉSENTE CÉSAR, MON AMOUREUX...

Savais-tu qu'il y a possibilité d'accouplement fécond entre un chien et un loup ? Le loup est d'ailleurs l'ancêtre le plus probable du chien domestique (du chihuahua au doberman).

Savais-tu que les tigres sont de la même famille que les chats domestiques ? Ce sont les plus gros de tous les félidés.

PIF!
PAF!
JE VAIS LE DIRE À MON PÈRE...

Savais-tu que, s'il le faut, les phacochères n'hésitent pas à charger un lion et à lui tenir tête?

NE L'ÉCOUTE PAS, HENRI! LE LION LUI COURAIT APRÈS QUAND IL A ÉTÉ RENVERSÉ PAR UNE JEEP SUR LA ROUTE!

FINALEMENT, J'EN AI PONDU SEULEMENT UN...

Savais-tu que les goélands femelles pondent généralement trois œufs par couvée ?

Savais-tu que, la plupart du temps, les coyotes dorment à découvert, à même le sol ? Ce sont surtout les femelles qui utilisent un terrier, et cela seulement durant la période de mise bas et d'allaitement.

MAIS, CHÉRIE ! IL PLEUT BEAUCOUP !

LES TITRES DE LA COLLECTION

PÈRES

PÈRES PÈRES

SAVA